PERRIOT/MALHERBE

Taïga Rouge

PERRIOT/MALHERBE

Taïga Rouge

PREMIÈRE PARTIE

COULEURS : RUBY

AIRE LIBRE

Que cette histoire transporte mon père et mon frère Tom
vers de lointaines contrées.
Merci à Amanda Sun pour les traductions en chinois.
Vincent.

À mon père.
Arnaud.

Merci à Philippe Glogowski pour le lettrage.

AIRE LIBRE
www.airelibre.dupuis.com

Maquette : Philippe Ghielmetti (illusions)

D/2008/0089/162
ISBN 978-2-8001-4166-4
ISSN 0774-5702
© Dupuis, 2008.
Tous droits réservés.
Imprimé en Belgique.

Transbaïkalie, hiver 1920.

Natacha... Natacha, si tu savais comme j'ai froid...

Sans toi, Natacha, j'arrêterais là, ici, au pied de cet arbre. Mais je sais que tu es avec moi, tout près. J'entends ton souffle — "Ferdynand, serre-moi, réchauffe-moi". Je suis là, mon amour...

Tu es avec moi. Alors je marche. Droit devant. On dit qu'il y a un grand pays vert avec un ciel immense, derrière les montagnes, qui n'aime pas les Rouges...

Je lui ai offert un thé indien à ce commissaire. Il a dû le trouver fade, ou amer, ou que sais-je encore? Le soir même, mon nom était dans son petit carnet. Avec une demi-douzaine de moujiks, et Tsagan l'aveugle, le vieil éleveur de rennes. Va savoir pourquoi...

Je suis un bourgeois, paraît-il. C'est drôle. À l'université de St-Pétersbourg, j'étais le premier à défier la police du Tsar. Le plus excité, le plus intransigeant, le plus "politique", c'était moi. Tu te souviens...

Je voudrais bien être un vrai Bolchevik, moi. Mais ils ne veulent pas...

Natacha, si tu savais comme j'ai froid... J'ai froid parce que tu penses que je suis un traître, et un lâche.

Peut-être que j'aurais dû rester, et me battre... Mais moi, je suis médecin, je guéris les gens. Je ne sais pas comment on fait pour les tuer.

Bolchevik ?

Il croit que je ne l'ai pas démasqué, ce maudit loup. Ses yeux le trahissent...Je t'aime, Natacha...

BAM

Djam Gordou.

Ferdynand...
Ferdynand Ossendowski.

Vers le pays
des Uriahäis.
Cinq jours,
et cinq nuits.

On...on est encore
en Sibérie ?

Terre soviétique...

Oui.

Le Pacifique... Le Tibet, c'est par où ? Le Sud ? Dans quelle direction ?

Je ne saurai jamais s'il voulait dire "dans mes rêves"... ou que j'étais cinglé.

Bolcheviks, partout. Il faut partir.

La neige s'en va... Beaucoup de sang...

Ce type est un animal.

Pourquoi il ne me tue pas ?

10

D'où viennent ces oiseaux ? Ils devraient être à des milliers de kilomètres au sud...

Il faut passer, vite...

Les Kouroupatkas et les canards servent les démons Daltaï et Oukaï. Les démons leur tiennent chaud pendant tout l'hiver. Les oiseaux sont leurs sentinelles... Nous ne sommes pas les bienvenus.

Ce sont des feux follets, Djam... Le produit de la combustion spontanée du méthane, le gaz que l'on trouve dans ces marais... C'est le résultat de la putréfaction des matières végétales dans la terre humide et chaude...

Enfin... Je crois... C'est... C'est de la chimie, quoi.

On y va. Maintenant... Cours. Ne te retourne pas.

Je... Je ne suis pas fatigué. Ça va aller...

Je ne sais pas monter sur un cheval...

Je sais.

...

Ça se voit. Ta façon de marcher...

Monte... Tu m'as dit une chose nouvelle sur les marais de Daltaï et Oukaï... À moi de t'enseigner une chose nouvelle.

Il s'appelle Ugraött... Marron... Parce qu'il est marron.

J'essaierai de m'en souvenir...

Natacha... J'ai peine à trouver les mots pour décrire ce premier contact avec les chevaux des steppes. Cette sensation grisante de rudesse et de liberté...

Cette idée folle surgie en une fraction de seconde, que le monde entier vous appartient...

Garde ta tête dans les nuages. Tu ne penses pas à tes pieds quand tu marches... Donc, ne pense pas à Marron quand tu chevauches...

Du travail encore... Moi aussi, beaucoup de travail pour comprendre la... Chimie... dans les démons Ougaï et Daltaï.

L'Iénisseï. Le fleuve-héros, le fleuve-légende, qui a accompagné Gengis Khan, de la Sibérie à l'océan Arctique...

L'Iénisseï se réveille... Ne mets pas tes yeux dedans, Ferdynand.

16

Des officiers. Cosaques...
Mal en point.

Il faut les aider. Djam ! C'est notre devoir... Je... Je dois le faire.

Ils sont des centaines par ici. Perdus, blessés, traqués comme des chiens... Aucune chance de survie. Viens !

La steppe de Minoussinsk, et les Monts Kizil-Kaïya... Les Obos, ces amas de pierres et de tissus bleus, sont censés lutter contre les mauvais esprits. Pour l'instant, ça ne marche pas...

L'Oriol... Rempli de gardes des Comités Communistes de l'Intérieur. La vallée est infestée de Bolcheviks. Les gens d'ici les haïssent, mais les craignent plus encore...

Touba. Ville-auberge. Ville-carrefour. Dernier poste télégraphique avant la steppe. Djam aurait aimé ne jamais y remettre les pieds. Mais il nous faut des vivres, des munitions...

Ne dis rien. Surtout ne fais rien, et ne dis rien.

Contre-révolutionnaires... Officiers russes blancs, cosaques du Don, mercenaires kalmouks... De Sibérie, de Transbaïkalie. Ils fuient vers le sud.

Non! Pas besoin de se faire remarquer. Eux s'en vont. Pas nous.

Une seule chose m'enchante à cet instant. C'est de savoir que toi, Natacha, tu ne mettras jamais les pieds dans cette ville. Que tu ignores même son existence...

Soupe d'Izuba, Messieurs. Dépêchez-vous de manger la viande avant qu'elle soit dissoute. Vous allez vous régaler.

Ne vous inquiétez pas. Nos bons Cosaques ne se laissent pas faire. Khratchev tient encore les monts Sayans. Tout n'est pas perdu. Vous y allez, au sud, rejoindre le bon général ?

Vous êtes un brave homme. Cela n'est pas courant en ces temps troublés. Où est exactement ce général, dites-vous ?

Merci ! Ça ira. Nous allons acheter des peaux aux Mongols. On ne fait pas de politique....

Bien entendu. Des peaux. Bon appétit, Messieurs !

Des peaux de quoi ?

De ton cul. Tu as parlé, Ferdynand. Je t'avais prévenu. Maintenant, il va falloir se battre.
Ici, il y a deux façons de survivre. Être malin, ou tuer les gens.

Je ne sais pas tuer les gens.

Alors, tu ne sais rien faire.

Il ne te reste plus beaucoup de temps pour apprendre à tuer, Ferdynand.

Ils ne savent rien de nous. On est des marchands, c'est ça ? Djam ? On achète des peaux, on les revend, et puis voilà !? On ne pend pas les gens pour ça ?!

Touba est une prostituée politique. Elle change d'opinion au gré du nombre de fusils et de la couleur des uniformes... Il faut bien vivre.

Mais qui voilà ? Merveille des merveilles ! Un Soyote...

Ça fait longtemps que j'ai pas croisé quelqu'un de ta race. T'es descendu de ta montagne sacrée ? Vous avez quelque chose à cacher pour rester terrés comme des marmottes, non ? À moins que vous soyez lâches, tout bêtement ?

Un Soyote ? Je voyage avec un Soyote. Et je ne sais même pas ce que c'est...

Mais, vu la tête de Djam à cette seconde précise, on peut imaginer que le Soyote est tout sauf un lâche.

Et toi ? Qu'est-ce que tu fricotes avec le sauvage ? Ton nom !

Yvan... Yossévitch... Marchand.

T'es juif ? Marchand de quoi ?

De peaux.

Des peaux de quoi ? T'es juif ?

De...de bêtes.

Haha!

Haha!

Hahaha!

C'est drôle. Nous aussi on fait dans les peaux de bêtes. On chasse le Blanc, tu connais ? Un animal à deux pattes, qui court tout nu dans les bois en couinant...

Haha!

T'es juif ?

Ferdynand, ils sont onze avec ceux du comptoir, tu vas devoir en tuer trois ... D'accord ?

Djam ?!?

N'écoutez pas ce Soyote, Messieurs. Il a perdu la tête. Un coup de froid. Quel drôle de Soyote, hein ? Et pour répondre à votre question, non, grand Dieu, je ne suis pas Israélite...

Il a raison... Ferdynand...Juif ou pas, je crois que vous n'aurez pas le temps de rejoindre le général Khratchev...

Ferdynand !!

Ces yeux...

Ces yeux en amande. Des éclats de vert qui baignent dans un bleu si pur... Ces yeux dans lesquels je me suis noyé, ailleurs, dans une autre vie... Saint-Pétersbourg ? Moscou ? Krasnoïarsk ?

Bam

Mina ?! Mina, c'est toi ?

Capitaine, s'il vous plaît ! Vite !

Dans une minute, ils sont cent. Ferdynand ! Debout, mon ami !

Par là-bas !

Tu te souviens, Ferdynand...Ta tête dans les nuages, comme quand tu marches... Ça ira ?

Je vais filer comme le vent... Essaie de me suivre avec ta tête de poney !

Dépêchons-nous! Je sens qu'ils arrivent!

Mina... Université de Saint-Pétersbourg. Les nuits de Mina. Les nuits cachées dans les soupentes avec les camarades, à préparer la révolution... Les nuits cachées dans ta chambre, à jouir de l'instant présent...

Là-bas!

Bam
Bam
Bam
Bam
Bam

Stop!

La bataille de Mongolie est à peine commencée, Messieurs. Patience. Ils vont payer...Bientôt...

Capitaine...le lama...

Oui... C'était lui. Touchegoun lama.

Par contre, les deux autres...

...

Vous les connaissez ? Le barbu, non ? J'ai cru que...

Jamais vus. Et toi?...

Glup...Moi, pareil. Jamais vus.

Galoper comme on marche...

Penser aux nuages...

Mina...

BLOF

Ferdynand ?! À cheval, mon ami !

27

Touchegoun Lama... Une légende, un mirage presque, d'un bout à l'autre de la steppe mongole. Touchegoun Lama est un sorcier kalmouk. Il a passé de nombreuses années dans les prisons du Tsar pour s'être battu pour l'indépendance de son peuple.

Aujourd'hui, il galope à tous vents, principalement pour tuer des gens qui ne lui plaisent pas. En gros, les Russes bolcheviks et les Chinois. Les Mongols voient en lui une sorte de bras armé des dieux, je crois.

Qu'importent l'espace et le temps, pas vrai ?... Je suis ici et là-bas, dans le même souffle. À cet instant, je suis à Urga. Après avoir chevauché les monts Artzan et les vents du Tzatane, je suis à Urga. Où les Chinois violent les femmes et pendent les hommes...

Touchegoun Lama est, dit-on, ami du Dalaï-Lama de Lhassa, et de "l'Utukthu", le dieu vivant des Mongols. D'autres disent que c'est un mythomane cinglé et sadique. Tout le monde a peut-être raison.

Il faut sauver Urga... Sauver l'Utukthu... C'est la clef du destin des Mongols pour les siècles à venir...

Urga, la capitale de la Mongolie-Extérieure est aux mains des troupes chinoises depuis 1912. Dans chaque yourte, sur chaque centimètre carré de la terre de Mongolie, cette occupation est ressentie comme une humiliation...

...Pris en tenaille entre les Bolcheviks d'un côté et les Chinois de l'autre, les Mongols courbent l'échine...

28

La garnison chinoise compte déjà 10.000 fusils. Et ils envoient des estafettes chaque semaine pour faire venir des renforts de Mongolie-Intérieure...

Kof! Kof!

Je leur ai coupé les oreilles et les bourses à ceux-là...En six mois, pas un messager chinois ne m'a échappé. Les derniers s'évanouissaient avant même que je sorte mes lames...C'est un gain de temps incroyable, la victime déjà évanouie, vous savez ?

Les Mongols n'ont pas assez d'armes. Pas de chefs... Sauf votre respect, Maître, ils vont au carnage...

Les contre-révolutionnaires russes sont en train de perdre la face. Le colonel Kazagrandi vient de se faire balayer de la région du lac Khövsgöl. Kalgorodoff, dans l'Altaï. Les Cosaques de l'ataman Soutounine, dans la vallée de la Selenga. Tous se font massacrer. Les agitateurs bolcheviks prennent pied dans toutes les villes de la frontière russo-mongole. Des unités armées même s'y aventurent. Nous en avons fait les frais... Mais il reste le Baron...

Le Baron est là-bas... Comme un aigle, sur les hauteurs d'Urga...

Le baron de quoi ?

Ungern ? Je croyais que c'était une légende, une invention...

La légende, si vous allez sur les hauteurs d'Urga, vous la verrez en chair et en os. Le Baron est à la tête de sa division asiatique.

Deux mille, trois mille, cinq mille hommes ? Qui peut le dire ? Il attend un signe du ciel pour fondre sur la ville. L'enfer est pour bientôt. J'en serai, avec joie ! Et vous ?

C'est la première fois que j'entendais parler du Baron. Djam restera très discret sur le personnage, comme s'il cherchait à m'en protéger. J'apprendrai juste que le Baron est un Blanc contre-révolutionnaire, un aristocrate russe ou polonais, ou balte, personne n'en savait rien, qui avait fui la Transbaïkalie, avec les Bolcheviks aux trousses.

Depuis, le Baron était une épine dans le cul des Rouges, des Chinois et d'un bon paquet de monde. Ça me le rendait éminemment sympathique.

Je rentre chez les miens. Avec Ferdynand.

Kof!

Kof!

Vous lui devez quelque chose ?

Sa vie. Il me doit sa vie.

...Euh après... Moi, je suis très tenté par le Tiber, ou l'Inde... Et le Pacifique. Si possible.

Vous êtes un optimiste, jeune homme. Voyons cela.

Vous n'irez pas. Vous ne verrez pas l'Océan. Il y a d'autres vies pour vous. Je vois la steppe, une horde de cavaliers à vos côtés...

Comment ça, je ne verrai pas l'océan ? De quel droit ?

Hum...

Drôle de tête. Méfiez-vous de l'homme à la tête en forme de selle... L'homme à tête de selle, il vous attend...

Comment faites-vous ça ? Pour faire entrer autant de chevaux et de têtes tordues dans un si petit os de chèvre ?

30

Que ? Qu'est-ce que c'est ?

Ne crois pas ce que te montrent tes yeux, jeune homme...

J'ai à faire. Je vais chevaucher un vent du sud. Il va me déposer sur la rivière Kérulen, dans les faubourgs d'Urga.

Salut, les morts ! Saye Sayebana !

Tu l'as vexé. Et tu es en vie. Touchegoun Lama tient à toi... lui seul sait pourquoi.

Il est fou. les fous ne sont pas logiques.

Ne dis ça à personne d'autre que moi, Ferdynand...

Où va-t-on, Djam?

Ici. Nous sommes arrivés.

Mets ça! Vite! Ne l'enlève pas. Jamais!

Djam, c'est ridicule. Je...

Ils arrivent... Ferdynand... Ma vie dépend de toi.

Deux jours et deux nuits de voyage. Je sens une dizaine de cavaliers autour de nous. Leur langue, sauvage, gutturale m'est inconnue. Ce n'est pas du mongol...

Djam est assez mal traité, il me semble. On lui parle durement. En tout cas, il ne m'adresse plus la parole. Je suis tombé trois fois de cheval. Les cavaliers n'ont pas ri...

Depuis quelques heures, je tiens bon sur ma selle. Je chevauche comme je marche, la tête dans les nuages... Tu serais fière de moi, Natacha...

"Ta Lama"... J'avais entendu ces mots, déjà, au cours de mon périple. Lama veut dire savant, éminent, je crois. "Ta" signifie sorcier, médecin, ou docteur. "Éminent docteur" serait une traduction satisfaisante pour un esprit occidental. La fille ne m'a pas l'air mal en point, pourtant...

Ferdynand, mon ami, il faut agir. Sauve-la. Je t'en supplie. Sauve-la...

Voilà, voilà. Suave, sucré, très bon, le tabac du vieil homme. Enfin, du prince...Très aimable. C'est votre père, non? J'imagine. J'espère. Héhé !

Je suis content que vous ne parliez pas russe !

Vous êtes... incroyablement... belle. Je ne sais pas si je peux. Vos yeux... J'aimerais voir vos yeux.

Natacha, je dois te l'avouer. Je te dois cette vérité. J'ai envie de cette femme. Physiquement, je veux dire. Je sais, ça n'est pas le moment. Je suis un animal, Natacha...

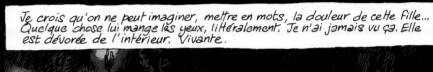

Très bien, princesse... Il faut pleurer encore. Il faut laver.

Je crois qu'on ne peut imaginer, mettre en mots, la douleur de cette fille... Quelque chose lui mange les yeux, littéralement. Je n'ai jamais vu ça. Elle est dévorée de l'intérieur. Vivante.

J'ai toujours envie d'elle...

La saleté ambiante, l'accumulation de poussière et de fumée ? Non, il y a autre chose. Ça n'est pas une conjonctivite, même carabinée... Il y a autre chose...

Les Soyotes ont une façon bien à eux de traiter leurs problèmes domestiques. Ils sont exigeants, disons. J'ai cherché quelle horreur Djam avait bien pu commettre pour mériter un tel supplice, administré par son propre peuple... Lui n'avait rien à me dire...

Là. Ferdynand. Fumée !

Ouch !!

BAK

Tu devrais pas. C'est mauvais pour ta santé, Djam.

Snif !

Hum...

Avec ça, je peux tenir des siècles...

T'es beau, Ferdynand... À l'envers, t'es beau... Hahahaha !!!

BAK

Djam est le type le plus courageux de la terre.

Et puis j'ai su. Le Noyon, qui était bien le père de la princesse, me l'avoua un soir où il avait bu plus d'aïrak que son corps desséché ne pouvait en supporter. Djam et sa fille étaient amis d'enfance, de toujours. Inséparables...

Quand la petite est devenue une femme, le Noyon a interdit aux tourtereaux de se parler et de se voir. La princesse était promise à un chef mongol, un certain Urguth Khan...

Encore...Ferdynand, encore...

Las, quelques jours avant l'arrivée du chef Mongol, Djam et la princesse se sont vus, une dernière fois, pour s'aimer, pour pleurer...

Le lendemain, les chairs sont apparues dans les yeux de la princesse... Les sorciers n'y comprenaient goutte.

Le chef mongol a refusé le colis défectueux. Pas de mariage. Un drame pour les Soyotes qui avaient besoin de sa protection.

Pour les sorciers et le Noyon, Djam avait sali la princesse. Djam a accepté son bannissement. Mais au lieu de disparaître, au lieu de se contenter de sauver sa peau, il a cherché un guérisseur pour son aimée. Pendant un an, il a erré dans la taïga...

C'est tombé sur moi... Faut pas que je me rate.

Opü!

Opü!

Opü!

Des loups gris...

Des jeunes loups, trop jeunes... La steppe ne pardonne aucune erreur de jeunesse.

Les Soyotes sont des guerriers pacifistes. Des bouddhistes qui répugnent à verser le sang. Mais de grands guerriers, néanmoins. Parce qu'il faut être fort pour n'avoir pas à se servir de sa force, disent-ils.

Au cours de l'épopée de la Horde d'Or, ils furent les seuls parmi les tribus d'Asie à décliner l'invitation de Gengis Khan à fondre sur le monde...

VLA

Le Khan rêvait d'enrôler en première ligne ces formidables cavaliers-archers. Mais, vraiment, ça ne les intéressait pas... Ils ont payé pour ça. Très cher.

Le Khan a fait écarteler le corps des enfants, violer les mères et empaler les hommes. Il a brisé le peuple soyote en morceaux, à un contre mille...

...en veillant bien à ne pas tous les tuer, pas tout à fait, afin qu'il subsiste une mémoire du cauchemar...

Un loup est mort, Natacha. Je l'ai tué. Ma tête fait la gueule. Pas mes muscles, pas mon sang. Je sens sa force en moi. Je sens que mon corps a changé. Je voudrais que tu le touches, Natacha, ce nouveau corps...

Ta Lama!

Ta Lama!

Ta Lama! Ta Lama!

Ta Lama!

Depuis sept siècles, les derniers Soyotes errent dans la steppe comme des pestiférés...

...à la recherche d'une terre, d'un royaume paisible...

...en retrait, loin des tempêtes de sang. Hors de l'Histoire...

Loin de l'ouragan rouge qui approche aujourd'hui...

Ta lama.

Ferdynand, encore, encore, encore. Encore du bien, Ferdynand...

Ta Lama !

Ta lama. Héhé. Eh oui.

TAP

Djam Gourdou. Bastak, Ta Lama ! Djam, Bastak !

Djam ? Quoi ?

Djam, Bastak !

Ça ne trompe pas, ça, chez une femme. Cette sensation que le monde, qui habite en soi s'écroule, en une seconde et à jamais...

Oh, Natacha, si tu pouvais voir ça. Elle l'aimait. C'était grand comme elle l'aimait. Elle l'aimait comme une folle. Elle devenait folle, aussi, un peu.

J'ai bien entendu le Noyon. Il a dit "mort". Djam est mort. J'avais guéri la Princesse. Le barbare. Pourquoi a-t-il fait ça ?

Je vais étrangler ce vieux porc. Puis je vais manger son intérieur, et le roter dans la taïga... Djam était mon ami. Je l'ai compris à cet instant.

Je n'ai pas réussi à me retenir, Natacha. Je ne suis pas raisonnable, vraiment.

Elle parle russe, la perfide. Et je m'en moque. Elle aurait parlé ouzbek ou azéri que j'aurais continué à serrer.

Pourquoi fais-tu ça, Ferdynand ? Ça ne sert à rien. Viens près de moi plutôt. Tout près.

Sauf que je n'ai pas compris le regard étonné du vieux. Il ne savait pas pourquoi je le tuais. Pas logique...

kof! Kof!

Kof! Kof!

Après l'avoir entendu, entendu le son de ses mots, je l'ai compris, le vieux. Djam était mort à ses yeux de Noyon, de Soyote. Pas mort en vrai... C'est compliqué comme langue, le Soyote.

Bastak... kof! Djam, Bastak !

Avant la guérison de la princesse, Djam était maudit. Aujourd'hui, il était juste mort aux yeux des Soyotes, et les Soyotes étaient morts pour lui. Mais c'était bien. Il pouvait aller en paix... Pour moi, ça se compliquait.

Kof! Kof!

Va!

Je... Pardon pour votre père. J'avais cru que...

Maintenant, pour les Soyotes, tu es mort toi aussi...

Pas pour moi.

47

48

Rends-la-moi. Donne la poudre d'amour. Va-t'en !

Bastak Ta Lama, bastak !

Bastak Ta Lama !

Mes Soyotes vont t'égorger. Je t'aime. J'aime ta poudre. Tue-moi. Tue-le. Et tue-moi !

Un jour, il reviendra.

Je ne sais vraiment pas pourquoi je lui ai dit ça. Pour lui plaire, peut-être.

Djam...

Tu...Tu reviendras un jour. Je le sais. Tu la prendras pour femme et...

Cesse de penser, petit Russe. Et mange. Occupe-toi de rester en vie, un jour après l'autre.

À lui aussi, j'ai voulu plaire, j'imagine. Grotesque. Je n'étais pas à la hauteur de leur tragédie.

Djam, là-bas !

Des Bouriates et un Russe. Ils ont hésité à nous tuer hier. Peut-être parce qu'on parlait russe sans être bolcheviks. On les intrigue. Ils n'ont aucune idée de qui nous sommes. Ralentis et tais-toi !

Monsieur Ossendowski ? Ferdynand Ossendowski ?

Lieutenant Filipov. Le général baron Von Ungern, commandant en chef de la division asiatique de Mongolie - Extérieure, m'a chargé de vous conduire à lui. Je vous cherche depuis trois semaines... Vous êtes son ... invité.

Je suis très honoré, lieutenant, mais on m'attend. Euh... sur la côte Pacifique...

S'il vous plaît... Le général baron vous attend. À Urga.

Djam se râcla discrètement la gorge, et je dis que oui avec plaisir, que j'étais bien honoré.

Un gamin. C'était un gamin de vingt ans qui jouait à la guerre. À peine sorti des cadets de Saint-Pétersbourg, il était tombé dans le chaos de la révolution. Avant même d'avoir croqué dans une femme.

53

Ajustez votre manteau,
le général baron
exècre le désordre.

54

Urga, la ville martyre. Chinoise, depuis deux ans. Plus pour longtemps...

Vous savez pourquoi je suis là, n'est-ce pas ?

Je jure que non, méfiez-vous Ferdynand, cette... armée n'est pas une armée comme les autres, elle a souffert au-delà de l'entendement.

Le Soyote, il repart sur sa montagne, c'est mieux.

Ce soyote... est... mon serviteur.

Il attend ici, avec toi.

Natacha, je n'aurais jamais dû ouvrir la porte de cette tente. Je sus que je n'allais pas mourir maintenant, mais que quelque chose de pire que la mort rôdait dans la pièce, et allait bientôt me dévorer.

Les hommes du Don sont prêts. Ils n'ont peur de rien. Prendre Urga est leur seul dessein.

Les chefs cosaques Arkhipov et Tapkhaiev, jumeaux dans la guerre, ennemis de toute forme de paix; on dit "lui", "il", pour parler d'eux.

Urga doit tomber. Les deux premiers assauts ont fait rire les Chinois. La honte sur mon peuple ! Dix mille Chinois ne valent pas un guerrier mongol. Il faut reprendre ma ville. Je tue de ma propre main celui qui bat en retraite...

Seman Khan, prince mongol ambitieux, qui égorge quiconque met en doute ses liens hypothétiques avec Gengis.

Les Chinois ont tué trop de Bouriates pour qu'on leur laisse le plaisir de voir une nouvelle Lune. J'en tuerai mille à moi seul.

Jambalon, chef de la cavalerie bouriate, imbécile notoire, guerrier sanguinaire.

Les hommes manquent de sel. Leurs doigts de pieds sont mangés. Leurs rectums pourrissent. Ils hurlent de douleur... Peut-être... faut-il déplacer la Division vers l'herbe et les troupeaux. Remonter au Nord. Repasser en Transbaïkalie.

Lieutenant-colonel Ivanovsky, intendant de la Division asiatique, aristocrate russe, érudit amoureux des lettres françaises.

Sépaïlov, l'homme de main du général baron... On dit qu'il a tué ses enfants pour ne pas qu'ils tombent aux mains des Rouges. C'est vrai qu'il a une tête en forme de selle. J'ai peur, Natacha. Je ne suis pas un guerrier.

Le psychopathe. Personne d'autre que lui n'avait pu parler de moi à Ungern. Je l'aurais volontiers égorgé sur place s'il n'avait pas été sorcier, et si j'avais été courageux.

Les Chinois ont tenu parce qu'ils n'ont pas peur. Parce qu'on leur donne une guerre à laquelle ils s'attendent... Il faut convoquer les dieux.

C'est un conseil de guerre, pas un Oulam de sorciers et de femmes. Vénérable Touchegoun Lama, si vous avez le pouvoir de convoquer les dieux, faites-le. Maintenant !

C'est très facile.

Général baron Ungern von Sternberg. Commandant en chef de la Division asiatique de Mongolie-Extérieure...

Bouddha nous envoie un signe, Messieurs. Laissez-moi vous présenter Monsieur Ferdynand Ossendowski, venu pour nous tout exprès de Transbaïkalie.

Une tache noire et sang, une anomalie sur le parchemin de l'Histoire. Je l'ai haï à cette seconde. Il allait devenir mon maître.

Un nain.

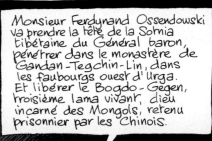

Monsieur Ferdynand Ossendowski va prendre la tête de la Sotnia tibétaine du Général baron, pénétrer dans le monastère de Gandan-Tegchin-Lin, dans les faubourgs ouest d'Urga. Et libérer le Bogdo-Gegen, troisième lama vivant, dieu incarné des Mongols, retenu prisonnier par les Chinois.

Un Blanc.

Une femelle.

Bien sûr.

Et après ? le Bogdo-Gegen est un vieil aveugle. Ça ne fera même pas un guerrier de plus.

Tu oses insulter la huitième réincarnation du grand juste Daranata Djibsun Damba Khutukhtu ! Sur la terre des Mongols ! Sale Blanc, je vais te crever !

Tu parles beaucoup, Seman. Agis, et à ce moment-là, je te répondrai.

Bien. On libère le vieillard, et après ?

Calmez notre inquiétude, vénérable Touchegoun... Éclairez-nous. Et après ?

Et après... les dieux vont faire fuir les Chinois.

J'ai dit.

Grâce à lui ? Pourquoi faire tant d'honneur à un étranger ? Ce commandement me revenait à moi, un prince mongol !

Moi ? Pourquoi moi ? C'est vrai, ça. Quelque chose de pire que la mort. Le grand tourbillon venait de m'attraper le mollet. J'aurais dû m'enfuir, ou mourir, tout de suite.

C'est-à-dire ... Je suis assez d'accord avec le Monsieur mongol. Cher Baron général en chef de Mongolie ... asiatique ... de la Grande Division ... Bref ... Je suis très honoré, ça, c'est sûr. Mais je ne sais pas si j'ai les compétences requises, vous savez. Je suis un modeste médecin...

Je ne dédaigne pas faire le coup de feu, ou tirer le sabre, j'avoue humblement, j'aime bien, mais...

Bon. Vraiment, si je puis vous être d'une quelconque utilité. Entre Russes, n'est-ce pas, il faut bien se serrer les coudes, hein ?

J'étais à mon maximum. Plus mauvais, je n'aurais pas pu.

Urga doit tomber ! le royaume sous le ciel doit resplendir à nouveau. Ensemble ! Pour le Bogdo-Gegen ! Pour Urga !

Vaincre ou mourir !

Vaincre ou mourir !

Je ne sais pas ce qui m'a pris... J'ai frissonné, Natacha : je crois que j'aime crier devant les militaires.

Banlieue ouest d'Urga, Gandan-Tegchin-Lin: le Grand Char de la joie parfaite... Le seul monastère hors du Tibet à former des théolo-giens, des astrologues, des médecins, des devins.

Ils attendent ton signal.

Je ne peux plus bouger, Djam. Je ne suis qu'un médecin et...

Ferdynand, ils attendent... Ils ont ordre de n'obéir qu'à toi...

站住!

別動!

車轉過來！

Ça c'est un bon signal.

Bam Bam

Bam Bam

Le grand char de la joie parfaite.

Une toute petite balle. Je ne me suis éloigné qu'un tout petit peu.

Bien. Mais colle-moi !

Baisse la tête devant le Bogdo-Gegen.

C'est ça le Bogdo ? C'est lui qu'on vient libérer ?

La sixième et septième réincarnation, oui. Je crois que la huitième est beaucoup plus dynamique... J'espère.

Bam

Bam

Ferdynand, le Bogdo-Gegen est la huitième réincarnation de Daranata Djibsun Damba Khutukhtu qui a prêché l'enseignement de Bouddha au Tibet et en Inde il y a trois siècles.

Reprends ton souffle.

Il est vénéré dans toute l'Asie. Presque autant que le Dalaï lama de Lhassa. Tu ne dois pas le regarder dans les yeux.

Mais il est aveugle, non ?

Il voit des choses que tu n'imagines pas... C'est un dieu vivant quand même ! Ferdynand !

Je regarderai mes pieds, ou les siens, entendu. On couche ici ?

KRAK

KRAK

Quel est le programme ? On prend notre voiture ?

Champagne ? Dom Pérignon, un dépôt de ce bon vieux Nicolas de toutes les Russies. Le II. Gentil. Mais fini. Tant mieux pour nous, vous me direz. Pour le champagne.

Slurp.

Dites-moi qu'on n'est pas obligés de repasser par la cour intérieure... Merci.

Clic.

RRRUMBL

Vénérable, il est temps.

On vous suit, mon bon sauvage. (Slurp). On vous suit.

HA! HA! HA! HA!

BLAM
BLAM
BLAM
BLAM

Tu sais nager ?

Calme, mon ami... Ce n'est pas grave. Je... Je t'aiderai.

Bam

Tu ne sais toujours pas viser, mon ami.

Sûr. Je voulais te la mettre entre les yeux... Pauvre Tibétain à tête de banane.

HA ! HA ! HA ! HA !

Bam

Bam

Bam

Bam

Ils l'ont fait. C'était impossible, et ils l'ont fait.

Dimitri Pershing, directeur de la banque russo-mongole d'Urga. Capitaliste des premières heures du capitalisme, obligé de composer avec l'histoire pour continuer à engranger profits, dividendes, et, accessoirement, rester en vie.

Nous sommes en sursis...

Surtout vous, bien sûr. Si les Chinois découvrent votre véritable identité, je ne donne pas cher de votre vie, de votre liberté au mieux. Mais si Urga leur échappe... Avec les hommes du baron... Envoyez-vous une balle dans la tempe. Ça sera un délice à côté de ce qu'ils vous réservent...

Je resterai à mon poste, quoi qu'il arrive, et vous le savez...

Je pourrais vous dénoncer aux Chinois, maintenant...

Sauf que si la colonne bolchevik de Kourgski pointe son nez au-dessus d'Urga, vous aurez besoin de mes talents pour ne pas mourir...

Cessez de faire votre capitaliste arrogant, Pershing. Ça vous va bien, mais ça m'agace les doigts...

Urga ne va pas tomber aujourd'hui, mais dans une semaine. Et elle sera rouge.

Ne sous-estimez pas le caractère superstitieux des peuples d'Asie.

Même des Chinois. Ils ont une belle armée disciplinée. Des fusils américains. Des képis européens.

Mais ils ont peur des démons, des malédictions, des signes...

Ils ont peur du baron, là-haut, sur sa colline, qui vient de libérer un dieu vivant, rien de moins.

Les dieux n'existent pas.

Vous savez comment les Mongols appellent le baron ? Dragan Ur, le "dévoreur de chair".

Je vous fais grâce des histoires que j'ai entendues. Elles sont invérifiables.

Mais ce qui est sûr, c'est que les Mongols parlent beaucoup aux Chinois en ce moment...

Les démons non plus n'existent pas.

J'aimerais tant que vous ayez raison...

Le Bogdo-Ul est une montagne sacrée pour les Mongols. Le jeune Gengis Khan y a fait de nombreux sacrifices à l'esprit qui veillait sur lui au combat. En son honneur, il organisait de gigantesques bûchers...

Djam est avec son peuple. Les nouvelles du nord sont mauvaises. Les Soyotes seraient aux prises avec une colonne de rouges... Mais l'esprit de Gengis est avec nous. Il va conduire notre assaut...